100 JEUX AMUSANTS

100
JEUX AMUSANTS

recherchés par
Henriette Collin

dessins de
Robert Peeters

Chantecler

Table des matières

D-MCMLXXXI-0001-14

JEUX SIMPLES

Ce chapitre propose un certain nombre de jeux simples pour enfants de 5 à 6 ans. C'est à cet âge qu'ils débutent à l'école et qu'ils apprennent à jouer en groupe. Souvent, les filles jouent avec les filles et les garçons avec les garçons. Vous trouverez également des jeux adaptés à cet âge aux chapitres'Jeux musicaux' et 'Courses'.

ABRACADABRA

Ce jeu est une variante de colin-maillard. Les enfants forment un cercle et celui aux yeux bandés se trouve au milieu, un journal à la main. Après avoir tourné trois fois sur place, le joueur du milieu montre un autre joueur et dit: 'Abracadabra'. Le joueur indiqué répond trois fois: 'abracadabra'. Pendant ce temps, le joueur aux yeux bandés essaye de deviner de qui il s'agit. S'il réussit, les deux joueurs échangent leur place. S'il n'a pas deviné juste, il indique un autre enfant. Ne le faites pas chercher plus de trois fois. Vous pouvez encore animer le jeu de la façon suivante: au lieu de laisser le joueur du centre tourner sur place, laissez-le courir dans le cercle. Un autre joueur dira stop et le jeu continue alors de la même façon.

LE CHAT VEUT RENTRER

Ce jeu peut également être organisé de plusieurs manières. En voici une: tous les enfants forment un cercle sauf un qui se met au milieu. Celui-ci se déplace dans le cercle en disant: 'le chat veut rentrer.' Entre-temps, deux enfants du cercle peuvent se donner un signal et échanger leur place. Le chat essaye alors de prendre une des places libres dans le cercle. Pour celui qui change de place, tout est simple, mais pour le chat, c'est autre chose. Si le chat n'arrive pas à s'introduire dans la chaîne du cercle, on peut crier: 'souris, souris.' Tous les enfants changent alors de place et le chat a plus de chances. Ce jeu sera plus simple si on donne un numéro à chaque enfant du cercle. Le chat crie alors deux numéros qui doivent alors échanger leur place. Le chat aura plus facile de se trouver une maison si les numéros cités se trouvent l'un en face de l'autre. *Une variante pour ce jeu:* la corbeille de fruit ou le zoo. Chaque enfant reçoit le nom d'un fruit ou encore, le nom d'un animal. Le joueur du milieu crie alors le nom de deux fruits ou de deux animaux.

QUE DE SOULIERS!

Tous les joueurs ôtent leurs souliers et les mettent en tas au centre de la pièce (ou du gazon). Ils forment alors un cercle autour du tas. Au signal, les enfants courent vers les souliers. Celui qui le premier a remis ses chaussures de façon convenable gagne un prix. On peut prévoir un deuxième et un troisième prix.

UN, DEUX, TROIS: PARTEZ!

Les enfants forment un cercle. Un joueur se met au milieu. Il se promène le long du cercle. A un certain moment, il s'arrête devant deux joueurs, coupe la chaîne d'enfants de sa main droite et dit: 'un, deux, trois, partez!' Les deux enfants se mettent à courir dans les sens opposés. Le premier revenu à sa place dans le cercle gagne et prend la place du joueur au centre.

FAIRE DES BULLES

Etant donné les inconvénients causés par ce jeu, il vaut mieux le jouer à l'extérieur un beau jour d'été. Le succès est alors assuré. Placez sur l'herbe une cuvette avec de l'eau savonneuse. Utilisez pour ce jeu un produit pour la vaisselle inoffensif pour les enfants. Ajouter de la glycérine à l'eau, ce qui donnera un éclat magnifique aux bulles de savon. Donner à chaque enfant un chalumeau ou une bague à faire des bulles. Commencez le concours. Qui fait la plus grosse bulle? Qui fait le plus de bulles? Quelle est la bulle qui vole le plus longtemps? Et le plus haut?

A QUOI JE RESSEMBLE?

Répartissez les joueurs en deux groupes. Chaque joueur du premier groupe reçoit le nom d'un animal; chaque joueur du deuxième groupe celui d'une fleur. Un joueur du groupe des fleurs va vers un joueur de l'autre groupe et demande: 'est-ce que je ressemble à un bleuet?' Il cite ainsi son nom de fleur. L'autre joueur répond: 'non, tu ressembles à un singe.' Il cite ainsi son nom d'animal. Question et réponse sont posées deux fois, sans que les joueurs ne se mettent à rire. Les autres enfants peuvent rire autant qu'ils veulent. Si le joueur qui parle commence à rire, il est éliminé. L'autre a donc gagné.

LE GRAND CROCODILE VERT

Au milieu de la pièce - ou encore mieux du gazon - on délimite avec des cordes une rivière d'environ trois mètres de large. Un des enfants est le gros crocodile vert. Il se trouve au centre de la rivière et essaye d'attraper les enfants qui la traversent. Celui qui se laisse attraper doit donner la main au crocodile et l'aider à attraper d'autres enfants. La queue du crocodile doit toujours rester dans la rivière. Le dernier attrapé est le vainqueur et sera le crocodile du prochain jeu.

LE PETIT TRAIN

Répartissez les joueurs en groupes de deux. Un joueur doit rester seul. Chaque groupe représente un train. Le premier enfant est la locomotive; le second, qui s'accroche solidement à la locomotive, est le wagon. Les trains avancent sur l'herbe. Le joueur resté seul essaye d'attraper un wagon. S'il y arrive, le premier enfant (la locomotive) doit abandonner son wagon et essayer d'en attraper un autre. Le second enfant devient alors la locomotive. En avant!

LOUP, LOUP, QUELLE HEURE EST-IL?

Un joueur est le loup, les autres des lapins. Le loup se tient d'un côté de la pièce ou du terrain de jeux. Les lapins de l'autre côté derrière une ligne. C'est leur clapier. Les lapins demandent sans cesse: 'loup, loup, quelle heure est-il?' Et le loup répond: 'une heure' ou 'cinq heures' ou tout autre heure de une à douze. Les lapins avancent toujours d'autant de pas que l'heure indiquée par le loup. Lorsque les lapins sont arrivés assez près du loup et qu'ils demandent l'heure, le loup répond: 'l'heure de déjeuner!' Et il essaye d'attraper les lapins. Les lapins tentent de rentrer dans leur clapier. Celui qui se fait prendre reste près du loup et l'aide à attraper d'autres lapins. Le dernier lapin est le vainqueur.

COLIN-MAILLARD

Ce jeu, très ancien, peut être organisé de différentes façons. Voici la plus simple. Un enfant aux yeux bandés essaye d'attraper les autres joueurs. Lorsqu'il en a pris un, il doit dire de qui il s'agit. S'il a bien deviné, le prisonnier devra se bander les yeux. S'il n'a pas trouvé de qui il s'agissait, il doit attraper un autre joueur et deviner son nom.

LE RENARD ET LES OIES

Tous les joueurs sauf un se mettent en file. Chacun tient le joueur qui le précède par la taille. Tous ces enfants sont les oies. Celui qui reste est le renard. Il essaye d'attraper la dernière oie de la file. L'oie de devant, la seule ayant les bras libres, fait de son mieux pour sauver toutes les oies. Si le renard réussit à attraper la dernière oie de la file, il peut prendre place en fin de file. La première oie de la file devient alors le renard. Lorsque tous les enfants ont été une fois renard, on peut arrêter le jeu.

DEUX ET TROIS

Les joueurs sont répartis par groupes de trois. Deux d'entre eux se donnent les mains de manière à ce que le troisième puisse se réfugier entre leurs bras. Ils forment le filet. Deux enfants sont restés sur le côté et doivent maintenant se poursuivre. Celui qui doit se faire attraper peut se réfugier dans un filet. Celui qui se trouvait dans ce filet est le nouveau poursuivi. Il peut lui aussi se jeter dans un filet. L'enfant qui se fait attraper peut à son tour poursuivre un autre.

LE CHAT ET LA SOURIS

Les enfants forment un cercle en se donnant la main. Un enfant se met au centre et est la souris. Un autre sort du cercle et est le chat qui essaye d'attraper la souris. Mais les enfants du cercle se tiennent tous très fort pour empêcher le chat de rentrer dans le cercle. On peut organiser ce jeu avec deux ou trois souris et deux ou trois chats.

JEUX DE MOUVEMENTS

Les jeux proposés dans ce chapitre sont très actifs et promettent bien du plaisir. Ils demandent une certaine préparation de matériel. Ne faites pas patienter les enfants pendant vos préparatifs. Veillez à ce que votre matériel soit prêt avant de commencer une série de jeux.

LA COURSE AU CHOCOLAT

Ce jeu est aussi bien apprécié par les garçons que par les filles. Sur la table, au centre de la pièce, vous placez une assiette, un couteau et une fourchette. Sur l'assiette, vous déposez un morceau de chocolat de 100 à 200 grammes (tout dépend du nombre de joueurs). Prenez de préférence un morceau de chocolat où les carrés sont indiqués. Tout le monde est assis par terre, autour de la table, mais pas trop près. Ils jettent un dé. Chaque joueur peut jeter une fois. Si un joueur lance 6, il donne le dé au suivant et court vers la table. Il coupe un carré de chocolat en ne se servant que du couteau et de la fourchette et le mange. Lorsqu'il a fini, il peut se couper un nouveau carré et le manger. Il continue ainsi jusqu'à ce que un autre joueur ait jeté 6. Le mangeur de chocolat retourne alors s'asseoir et laisse sa place au nouveau venu près de la table. La tension est grande pendant ce jeu, car il se peut que le joueur ayant jeté 6 n'ait même pas eu le temps de manger un morceau de chocolat lorsque le suivant arrive déjà près de la table. Celui qui se trouve près du chocolat doit immédiatement déposer le couteau et la fourchette et laisser la place libre lorsqu'un autre arrive.

DEGUISEMENT

Demandez à vos petits amis d'apporter de vieux habits comme par exemple chapeau, chaussures, jupe ou pantalon, veste, gants, etc.

Lorsque tout le monde est présent, formez un cercle, chacun avec son paquet d'habits. Mettez alors de la musique. Pendant ce temps, chaque joueur passe son paquet au voisin de droite. Lorsque la musique s'arrête, chaque joueur enfile les vêtements qu'il tient à ce moment là. Les enfants peuvent garder leur déguisement pour le

reste de la journée ou rien que pour une heure. Il va de soi que chaque joueur peut tout simplement enfiler le costume qu'il a apporté. Ce jeu peut être très amusant. Mais assurez-vous avant de commencer que vous n'avez que de bons joueurs. En effet, certains enfants ne se sentent pas toujours à l'aise lorsqu'ils doivent se promener déguisés trop longtemps.

LE BUREAU DE POSTE

Ce jeu plaira tout particulièrement aux jeunes enfants mais demande un certain nombre de préparatifs. Les joueurs doivent savoir lire. Cachez dans la maison ou le jardin une demi-douzaine de boîtes à lettres. Veillez à ce qu'on les trouve assez facilement. Une boîte à lettres peut être par exemple une boîte à souliers. Collez le couvercle, faites-y une entaille et peignez la boîte. Ecrivez sur chaque boîte à lettres le nom d'une ville ou d'un pays. Pour des enfants plus jeunes, on peut utiliser des dessins comme par exemple l'école, un cirque, un zoo, la boulangerie, la plage, le terrain de jeux, etc. Donnez à chacun des enfants six enveloppes, où vous aurez inscrit la destination. N'oubliez pas d'inscrire le nom de l'enfant au verso de l'enveloppe. Celui qui le premier a posté ses six enveloppes, gagne. Lorsque tout le monde a terminé, contrôlez les boîtes à lettres. (Dites à l'avance que vous le ferez). A l'aide du nom de l'expéditeur, vous pouvez vérifier si tous les enfants ont bien posté leurs enveloppes.

FAIRE MOUCHE

Répartissez les joueurs en deux groupes. Chaque groupe se place d'un côté du terrain derrière une ligne. Posez un léger ballon au milieu et donnez une balle de tennis à chaque joueur. Au signal, tous les joueurs essayent de toucher le ballon avec leur balle de tennis, pour lui faire passer la ligne de l'autre camp. Il va de soi que les joueurs peuvent ramasser les balles de tennis adverses atterries dans leur camp et s'en servir pour toucher le ballon. Mais à ce moment, elles ne peuvent passer la ligne. Le jeu se termine lorsque le ballon a passé la ligne d'un camp ou lorsque plus aucune balle de tennis ne peut être utilisée. Ce jeu est un jeu d'extérieur pour enfants déjà plus âgés. La présence d'un arbitre adulte est souhaitable pour empêcher les enfants de se canarder au lieu de viser le ballon.

LA BALLE AU CENTRE

Tous les joueurs forment un cercle, sauf un au milieu. Les joueurs du cercle se lancent une balle. Ils peuvent la lancer à gauche, à droite, droit devant eux. Le joueur du centre essaye d'attraper la balle. S'il y arrive, le joueur qui avait lancé la balle prend la place au milieu. Celui qui laisse tomber la balle doit la ramasser. Si le joueur du milieu la ramasse avant lui, il pourra prendre place dans le cercle. Ce jeu se joue à l'extérieur et avec des enfants qui peuvent déjà lancer et attraper une balle avec habileté. Veillez à ce que le jeu ne devienne trop sauvage.

STOP A LA BALLE

Les joueurs, les jambes écartées, forment un cercle. Chaque joueur touche de ses pieds un pied de son voisin. Un joueur se trouve au centre avec une balle. Il essaye de faire sortir la balle du cercle, en la faisant passer entre les jambes des autres joueurs. Ceux-ci arrêtent la balle de leurs mains mais ne peuvent bouger les pieds. Si la balle sort du cercle, le joueur qui l'a laisser passer doit aller au milieu.

A LA PÂTURE

Répartissez les enfants en groupes de quatre ou cinq et désignez un meneur dans chaque groupe. Chaque groupe reçoit le nom d'un animal ayant rapport avec la ferme, comme un cheval, un cochon, une vache, une poule, un coq, un chien, un chat, etc. Eparpillez dans la maison ou le jardin une bonne quantité de noix, de petits fruits, de bonbons, etc. Au signal, chacun se met à la recherche des friandises qui ne peuvent être ramassées que par le meneur du groupe. Lorsqu'un joueur a trouvé quelque chose, il se penche et émet le cri de l'animal de son groupe. Le meneur du groupe accourt alors pour ramasser la friandise. Lorsque un joueur se trouve près d'un objet et qu'il émet son cri, il est interdit au meneur d'un autre groupe de s'emparer de cet objet. Les meneurs se démènent pour ramasser le plus possible, car celui qui possèdera le plus d'objets gagnera.

LA SOUCOUPE VOLANTE

Tous les joueurs sont assis en cercle et ont un numéro, à partir de un. Au centre se trouve un joueur, une assiette incassable à la main. Il fait tourner l'assiette et crie un numéro. Celui qui a ce numéro se dépêche d'attraper l'assiette avant qu'elle ne cesse de tourner. S'il réussit, il peut reprendre sa place. Si non, il devra rester au milieu.

LES CERCLES SOUFFLEURS

Répartissez les joueurs en groupes. Dans chaque groupe, les enfants se donnent la main pour former un cercle. Donnez à chaque groupe une plume ou un ballon et regardez quel est le groupe qui maintiendra l'objet le plus longtemps en l'air, rien qu'en soufflant.

TENNIS AU SOUFFLE

Ce jeu ressemble au précédent, mais ne se joue qu'avec deux groupes. Tendez une corde à hauteur des épaules dans la pièce ou dehors entre deux poteaux ou deux arbres. Chaque groupe se trouve d'un côté de la corde. Utilisez ici aussi une plume ou un ballon. Chaque groupe essaye de faire passer l'objet par-dessus la corde dans l'autre camp. Le groupe qui laisse tomber l'objet ou le fait passer sous la corde a perdu. Les joueurs ne peuvent pas toucher l'objet de leurs mains. Ce jeu promet bien du plaisir car, lorsqu'on rit, pas question de souffler.

PING-PONG AU SOUFFLE

Encore un jeu très amusant, qui ressemble aux deux précédents mais que l'on joue autour d'une table. Le nombre d'enfants ne doit pas être trop important et il faut faire deux groupes. Un groupe de chaque côté de la table. Au milieu de la table se trouve une balle de ping-pong. Chaque équipe essaye, en soufflant, de faire tomber la balle de la table dans le camp adverse. Les mains doivent rester sous la

table. Si un joueur touche la balle de son corps (mains, épaules ou tête) on attribue un point supplémentaire à l'équipe adverse. Le jeu se termine lorsqu'une des équipes est arrivée à cinq ou à dix points ou lorsque les joueurs n'en peuvent plus.

JEUX SANS PREPARATIFS

Pour les jeux de ce chapitre, vous n'avez besoin d'aucune préparation. Ils ne sont pas très excitants mais il est très intéressant de connaître quelques jeux de ce genre. Si la réunion ou la fête se termine plus tôt que prévu, il est facile de compléter le programme en choisissant des jeux de ce chapitre. Veillez donc à avoir ce livre sous la main. Quelques jeux musicaux, expliqués plus loin peuvent également être organisés sans préparation à condition d'avoir un poste radio dans les environs.

PETIT POINT, PETIT POINT

Ce jeu est une variation amusante du jeu très connu "deviner". Un joueur quitte la pièce. Pendant ce temps, les autres choisissent un verbe, par exemple: courir, tricoter, chanter, etc. Lorsque le joueur revient dans la pièce, il peut poser une question à chaque joueur. Ils ne peuvent répondre que par "oui" ou par "non". Dans chaque question posée, le mot cherché doit être remplacé par petit point, petit point. Si le verbe à deviner est courir, le joueur demande; "petit point, petit point-tu tous les jours?" La réponse est "oui". "Est-ce que je petit point petit point moi aussi?" peut être la question suivante, à laquelle le joueur répond également "oui". Si le joueur demande: "Est-ce que je petit point petit point avec ma bouche?" la réponse est "non". En continuant de cette façon, le joueur devra deviner le verbe choisi par les autres.

LE CHEF D'ORCHESTRE

Un joueur quitte la pièce. Les autres forment un cercle et choisissent un chef d'orchestre. Le chef d'orchestre, en montrant l'exemple

veille à ce que les autres joueurs fassent le même mouvement que lui. Les joueurs doivent donc faire bien attention sans regarder tout le temps le chef d'orchestre. Le chef commence par frapper dans les mains. Tous les enfants font de même et le joueur sorti peut rentrer. Puis, le chef fait un autre mouvement par exemple se frotter le nez, sauter, chanter, faire un signe, etc. Tout le monde fait de même. Le joueur au centre doit deviner qui est le chef d'orchestre. S'il réussit, le chef d'orchestre quittera la pièce et les autres joueurs choisiront un autre chef.

HA, HA, HA

Les joueurs sont assis en cercle. Le premier dit "ha", le second "ha, ha", le troisième "ha, ha, ha" et ainsi de suite. Chaque joueur dit un ha de plus que le précédent. Personne ne peut rire. Le "ha" doit être prononcé fort et clairement. Celui qui rit ou se trompe dans le nombre de ha est éliminé. Celui qui ne doit pas parler peut rire tant qu'il veut.

LE MOUCHOIR RIEUR

Tous les joueurs, sauf un, font un cercle. Le joueur du milieu jette un mouchoir en l'air et commence à rire. Tous les autres doivent rire de la même façon jusqu'à ce que le mouchoir soit retombé. A ce moment, le silence doit être complet. Celui qui rit encore doit quitter le cercle.

LE CHAPEAU RIEUR

Ce jeu est une variante du précédent. Les joueurs se tiennent en rang face à face. Le joueur au centre jette un vieux chapeau en l'air. Lorsque le chapeau atterrit sur le côté, une rangée d'enfants peut rire. Si le chapeau atterrit sur le fonds, l'autre rangée rit. Celui qui rit lorsque ce n'est pas son tour est éliminé.

JEU DES VILLES

Tous les joueurs forment un cercle. Un d'entre eux donne le nom d'une ville. Le joueur suivant cite une ville dont la première lettre est la même que la dernière de la première ville citée. Par exemple: le premier joueur dit Paris, le second, Saumur, le troisième, Reims, etc. Le nom d'une ville ne peut être cité plusieurs fois. Si un joueur ne peut trouver de nom, il est éliminé et le joueur suivant devra citer un nom.

TERRE, EAU, AIR ET FEU

Tous les joueurs sont en cercle, sauf un au milieu. Le joueur du centre indique un autre joueur et crie: "Terre". Il compte alors jusque dix. Avant qu'il ne soit arrivé à dix, le joueur indiqué doit avoir cité un animal vivant sur la terre. S'il ne peut citer un nom, il devra prendre la place du joueur du milieu. Si le joueur du centre crie "eau" ou "air", il devra citer un poisson ou un oiseau avant que le joueur du milieu n'ait compté jusqu'à dix. Si le joueur du centre crie "feu", le joueur indiqué doit rester immobile. Chaque nom ne peut être cité qu'une fois. Ce jeu peut aussi se jouer avec une balle ou un mouchoir. Le joueur du centre lance alors la balle ou le mouchoir au joueur désigné.

AU MARCHE

Les joueurs font un cercle. Le premier dit: "je vais au marché et j'achète un demi-kilo de poisson." Le second joueur dit: "je vais au marché et j'achète un demi-kilo de poisson et une pomme." Le troisième reprend les deux achats des joueurs précédents et y ajoute un troisième, par exemple, un chou-fleur, un chat, etc. Chaque joueur reprend donc la liste et ajoute un achat. Celui qui oublie un achat est éliminé.

UN, DEUX, TROIS, PIANO

Un joueur, appelé grand-mère, appuyé contre un mur, tourne le dos aux autres joueurs, qui essayent de se rapprocher de plus en plus de lui. Lorsque le joueur contre le mur se retourne, tous les autres doivent rester immobiles. S'il voit encore remuer un joueur, celui-ci est éliminé. Le premier qui touche le dos de grand-mère gagne et devient grand-mère. La grand-mère peut tenir derrière le dos un petit cadeau que les autres joueurs doivent essayer de prendre sans qu'elle s'en aperçoive.

ATTENTION A L'EAU

Les joueurs font une ronde en se donnant la main. Au centre, vous y tracez un cercle. Ce cercle représente un étang. Aucun joueur ne peut y mettre le pied mais chacun essaye de le faire mettre à un autre. Celui qui pose le pied dans l'étang ou lâche la main de son voisin est éliminé. Faites bien attention à ce que les joueurs se donnent bien la main. Vous éviterez ainsi que le jeu ne devienne trop sauvage.

DESSINER ET DECOUPER

Pour ces jeux, vous avez besoin de crayons et de papier pour chaque joueur. Ces jeux demandent peu de préparation et calment les enfants. Veillez à ne pas introduire trop de ces jeux lors d'une fête. Certains enfants pourraient s'ennuyer. Organisez-les plutôt entre deux jeux excitants et fatigants.

DESSINER DANS LE NOIR

Donnez aux enfants un crayon et du papier. Eteignez et demandez-leur de dessiner un lac. Cela ne semble pas difficile. Tout le monde pense que vous allez alors rallumer mais vous ne le faites pas. Au contraire, vous leur donnez à nouveau quelque chose à dessiner. Vous attendez qu'ils aient terminé avant de continuer. Voici par exemple ce que vous pouvez leur faire dessiner: un bateau sur l'eau, une maison au bord d'un lac, deux hommes sur un bateau, un arbre près d'une maison, etc. Il y a naturellement encore beaucoup d'autres dessins à réaliser. Vous allumez ensuite pour que les artistes puissent admirer leur chef-d'oeuvre. Certains auront bien des surprises.

ART MODERNE

Chaque joueur reçoit un crayon et du papier. Vous leur demandez alors de dessiner la tête et le cou d'un être vivant (animal, homme, etc) Personne ne peut regarder sur son voisin. Celui qui a terminé plie son dessin de manière à ce que l'on ne voie plus qu'un centimètre du cou de l'être dessiné. Il donne alors son papier à son voisin. Celui-ci dessine le corps et la partie supérieure des jambes ou des pattes. Il plie ensuite le papier comme la première fois et le donne à son voisin. Ce dernier termine les jambes ou pattes et dessine les pieds. Ensuite, tous les papiers sont dépliés. Les sujets dessinés sont souvent très bizarres.

DESSINER DES LIVRES

Mettez en rang une douzaine de livres de couleur et de forme différentes sur une table. Laissez les joueurs les regarder deux ou trois minutes. Reprenez les livres et demandez aux enfants de les dessiner comme ils étaient posés sur la table. Les titres des livres et les noms d'auteur sont sans importance. Seules les couleurs, les formes et les places comptent. Vous constaterez que ce jeu est assez difficile pour la plupart.

MOT EN CROIX

Ce jeu de réflexion est destiné à des enfants déjà plus âgés et est basé sur le mot croisé bien connu. Donnez à chaque enfant un crayon et une feuille de papier quadrillé où vous aurez dessiné une grille de dix centimètres sur dix contenant vingt-cinq cases. A tour de rôle, les joueurs donnent une lettre. Cette lettre peut être placée n'importe où dans la grille. Le joueur qui doit donner une lettre donne évidemment une lettre qu'il peut bien placer pour former un mot. Le but est de placer les lettres de façon à pouvoir lire un maximum de mots horizontaux et verticaux. Toutes les lettres citées doivent être inscrites, même si elles ne conviennent pas. Lorsque toutes les cases sont remplies, les joueurs comptent leurs mots. Chaque mot compte pour autant de points qu'il contient de lettres. Les noms propres, de même que les abréviations ne comptent pas.

DESCRIPTIONS AMUSANTES

Chaque joueur reçoit deux feuilles de papier. Sur l'une, il inscrit son nom. Sur l'autre, il décrit un animal et mentionne toutes ses particularités sans en citer le nom. Vous rassemblez toutes les feuilles avec les descriptions dans un chapeau et celles avec les noms dans un autre. A tour de rôle, chaque joueur peut prendre un papier dans chaque chapeau et lit ce qui y est inscrit. Ainsi, il donne pour le nom d'un de ses compagnons une description amusante qui pourra provoquer bien des rires.

NOMS DE MAGASINS

Ce jeu est destiné à des enfants plus âgés. De plus, vous devez être certain que tous connaissent une rue déterminée. Donnez aux joueurs un crayon et du papier et citez la rue connue. Vous pouvez aussi citer une partie de cette rue, située entre deux carrefours. Faites inscrire dans l'ordre le nom des magasins. Pour aider, vous pouvez donner le nom du premier et du dernier magasin. Attention: soyez vraiment certain que tous les joueurs connaissent la rue.

ALPHABET

Donnez à chaque joueur un crayon et une feuille de papier divisée en six colonnes. Au-dessus de chaque colonne, vous inscrivez un mot tel que: fleur, oiseau, arbre, animal, ville, nom de fille, nom de garçon, etc. Donnez alors une lettre, par exemple *m*. Les joueurs doivent alors inscrire dans chaque colonne un mot commençant par cette lettre. Dans la colonne des fleurs, un nom de fleurs. Dans celle des oiseaux, celui d'un oiseau. Et ainsi pour chaque colonne. Après un certain temps, chaque joueur donnera les six mots qu'il a trouvés. Ceux qui ont les mêmes noms doivent les barrer. Celui qui à la fin du tour a le plus de noms non barrés gagne. Vous pouvez répéter ce jeu plusieurs fois avec des lettres différentes. Ce jeu n'est réalisable que lorsque le groupe d'enfants est restreint.

IMAGINER UNE PHRASE

Donnez à chaque joueur un crayon et du papier. Laissez-les alors à tours de rôle donner un mot. Tous les joueurs inscrivent ce mot. Veillez à ce que les mots soient assez simples, comme par exemple, vache, bateau, garçon, etc. Puis, au deuxième tour, vous faites donner des verbes, puis de nouveau des mots et des adjectifs. Lorsque vous croyez avoir assez de mots, dites aux enfants de former une phrase avec les mots inscris sur la feuille. Après une dizaine de minutes, faites lire les phrases et donnez des prix aux meilleures.

FORMER DES MOTS

Choisissez un long mot comme par exemple dictionnaires. Vous pouvez éventuellement choisir un mot ayant un rapport direct avec les enfants, comme le nom de leur école, de leur quartier ou ville. Donnez à chacun un crayon et du papier, et faites-leur écrire le long mot. Ensuite, les enfants doivent essayer de former le plus de mots possible d'au moins trois lettres à partir des lettres comprises dans le long mot. Voici l'exemple pour dictionnaire: dis, ton, ares, tares, donc, dictons, etc. Dans chaque mot, les lettres du grand mot ne peuvent être utilisées qu'une seule fois.

DESSINER LE TITRE D'UN FILM

Ce jeu est réservé à des enfants déjà plus âgés. Donnez à chacun un crayon et du papier et demandez de dessiner le titre d'un film. Ce dessin ne doit pas être le résumé du film. Prenez par exemple Blanche-Neige. Il ne s'agit pas de dessiner Blanche-Neige et les nains mais des flocons de neige ou un tas de neige. On reproduit littéralement le titre. Lorsque tout le monde a terminé, donnez un numéro aux dessins et mettez-les en rang pour que tous les enfants puissent les admirer. Chaque joueur inscrit le numéro de chaque dessin de même que le titre supposé du film. Vous pouvez donner un prix à celui qui a trouvé le plus de titres justes. Savoir dessiner n'est pas important. Il suffit d'avoir de bonnes idées.

QUELS HABITS AVAIENT-ILS?

Faites sortir un ou plusieurs enfants. Donnez aux autres un crayon et du papier et laissez-leur décrire les vêtements des enfants sortis. Donnez un point par vêtement juste, de même que pour la couleur. Faites attention aux bretelles, ceintures, chaînes, etc. Déduisez deux

points pour chaque vêtement ou objet fautif. Celui qui totalise le plus de points gagne. Il va de soi que vous ne dites en quoi le jeu consiste que lorsque les joueurs sont sortis de la pièce. Ce jeu peut être très difficile pour certains.

COMBIEN?

Donnez à chacun un crayon et du papier et faites-leur inscrire un maximum d'objets de la pièce commençant par une lettre déterminée. Prenez par exemple la lettre T: table, tapis, tenture, tableau, etc. Vous pouvez répéter ce jeu quelques fois avec une lettre différente. Vous pouvez désigner un gagnant pour chaque partie mais aussi un gagnant pour toutes les parties additionnées.

QUESTION ET REPONSE

Donnez à chacun un crayon et du papier et répartissez les enfants en deux groupes. Un des groupes invente des situations et inscrit par exemple: "que ferais-tu si... (description de la situation)?" L'autre groupe inscrit des solutions pour des questions qu'ils ne connaissent pas encore. "Je... (réponse)" Les papiers sont déposés dans deux chapeaux, un pour les questions, l'autre pour les réponses. Retirez un papier de chaque chapeau et lisez la question, puis la réponse. Il y a vraiment de quoi rire.

QUI SERA LE PREMIER ?

Tous les enfants aiment les courses. Ces jeux amènent une certaine tension et donnent beaucoup de plaisir. Vous trouverez différents jeux de ce genre dans ce chapitre, des difficiles et des plus faciles.

COURSE AU CHAPEAU

Ce jeu promet bien du plaisir. Répartissez les joueurs en groupes et donnez à chaque groupe un chapeau, de préférence un tout vieux, garni de noeuds et de rubans. Au signal de départ, le premier joueur met le chapeau et le noue avec les rubans, sous son menton. Le second détache le ruban, ôte le chapeau, le pose sur sa tête et noue les rubans. Le troisième fait de même et ainsi de suite jusqu'à ce que tous les joueurs du groupe aient eu le chapeau sur la tête. Le groupe qui a fini le premier gagne. Prévenez bien les joueurs que les rubans doivent être bien noués avant de pouvoir les détacher.

DEFILE DE MODE

Répartissez les joueurs en groupes et donnez à chaque groupe une valise avec des habits et accessoires tels que chapeau, gants, souliers, cravates, vestes, parapluie, etc. Dans chaque valise se trouve un vêtement de moins que ce qu'il n'y a de joueurs. Chaque groupe choisit un modèle qui va se placer de l'autre côté de la pièce. Celui-ci fait un signe et à ce moment, les autres joueurs ouvrent les valises. Le premier joueur prend un vêtement, court vers le modèle, l'habille et revient à sa place. Ce n'est que lorsqu'il est revenu que le second joueur peut partir. Le modèle ne peut pas aider le joueur qui l'habille. Vous pouvez organiser ce jeu dans l'autre sens. C'est-à-dire la valise près du joueur seul. Chaque joueur vient à tour de rôle près de lui, prend un vêtement dans la valise, l'enfile et retourne à sa place.

LE REPAS DES AVEUGLES

Répartissez les joueurs par couples. Donnez à chaque couple deux cuillères et deux assiettes contenant le même nombre de cacahuètes. Les joueurs doivent avoir un bandeau sur les yeux et se donnent mutuellement les cacahuètes. Si des cacahuètes tombent par terre, elles doivent être décomptées. Vous pouvez par exemple éliminer un couple qui aurait laisser tomber plus de dix cacahuètes.

COURSE DOS A DOS

Répartissez les joueurs par couples. Les joueurs se mettent dos à dos et se tiennent par les bras. Ils doivent courir dans cette position vers un point donné et revenir. Ainsi chaque joueur devra courir une fois en avant et une fois en arrière. Cela promet bien du plaisir.

POMMES A LA CORDE

Pour ce jeu, vous tendez une corde dans la pièce ou dehors entre deux arbres. Vous y attachez alors une demi-douzaine de pommes au moyen d'une corde ou d'un fil très solide. Les joueurs sont sur un rang et à votre signal courent vers les pommes. Ils essayent alors sans utiliser leurs mains, de mordre dans les pommes. Celui qui le premier a mordu trois fois dans une pomme gagne. Changez les pommes et faites partir un nouveau groupe.

COURSE A LA CUILLERE

Répartissez les joueurs par couple. Placez une assiette de glace entre eux et deux cuillères attachées l'une à l'autre. La corde entre les deux cuillères doit être de 15 cm environ. Le couple qui le premier a fini de manger la glace avec les cuillères attachées gagne.

LES LETTRES

Répartissez les joueurs en groupes et mélangez un certain nombre de lettres sur la table. Il y a un tas de lettres pour chaque groupe. Les joueurs se tiennent prêts à l'autre côté de la pièce, lorsque vous criez un mot. A ce moment, le premier joueur court vers la table et cherche la première lettre du mot. Il la place sur la table et revient à sa place en courant. Le deuxième joueur part alors pour chercher la seconde lettre et la dépose près de la première. Il en va ainsi de suite jusqu'à ce que le mot soit formé. Si le mot contient plus de lettres que le groupe ne contient de joueurs, certains d'entre eux devront courir deux fois.

REPOSONS-NOUS UN PEU

Les jeux suivants se déroulent de façon calme. Ce n'est pas pour cela qu'ils sont moins intéressants, car ils demandent une certaine concentration et de la réflexion. Ces jeux demandent aussi quelques préparatifs.

DEFILE DE CHAPEAUX

Donnez à chaque enfant deux ou trois feuilles de papier journal, et un nombre suffisant d'épingles. Distribuez des ciseaux. Chaque joueur se fait un chapeau et le met. Le prix est remporté par le plus joli des chapeaux.

CHEZ LE DENTISTE

Chaque enfant reçoit une boule de plasticine rouge et des noix, pour réaliser un dentier. Les résultats provoqueront bien des rires.

UN ELEPHANT

Encore un jeu amusant mais cette fois pour organiser le soir. Donnez une feuille de journal à chaque joueur et éteignez. Demandez-leur alors de déchirer un éléphant dans la feuille. Lorsque vous allumerez, vous pourrez admirer les différents chefs-d'oeuvre. Ce jeu est idéal lors de réunion de famille ou d'amis ou tout autre fête: anniversaire, St Nicolas, Noël, carnaval, etc. Il n'est pas absolument nécessaire de jouer dans le noir. Il est déjà bien difficile de réaliser une belle figure à la lumière.

JEUX DE METIERS

Répartissez les joueurs par deux. Chaque groupe tire un papier d'un chapeau ou d'une boîte. Sur chaque papier est inscrit un métier, comme dentiste, docteur, tailleur, boulanger, maçon, menuisier, agent, etc. Les groupes doivent mimer leur métier à tour de rôle et les autres joueurs essayent de reconnaître le métier qu'ils miment. Une vraie partie de plaisir.

DEVINE COMBIEN

Ce jeu, encore très peu organisé, plaît généralement aux garçons et filles de tout âge. Placez quelques assiettes à égale distance sur une table. Numérotez les assiettes à partir de un. Chaque assiette contient de petits objets tels que allumettes, petits pois, cacahuètes, riz, centimes, etc. Vous comptez naturellement les objets de chaque assiette et le notez pour vous-même. Donnez à chaque joueur un crayon et du papier et laissez les enfants deviner combien d'objets contient chaque assiette. Faites-leur inscrire les numéros attribués aux assiettes l'un en dessous de l'autre. Il leur restera à inscrire combien d'objets contient l'assiette. Prévoyez les points à l'avance. Par exemple: 10 points par assiette deviné juste. S'il y a une différence allant jusqu'à cinq entre le nombre d'objets cités et le nombre d'objets contenus dans l'assiette: 5 points. Pour une différence allant de 5 à 10: 3 points. Pour une différence de 10 à 12: 2 points. Pour une différence de 12 à 15: 1 point.

L'ALBUM PHOTOS

L'album photos est à la base de cet amusant jeu de groupes. Les groupes comptent cinq ou six enfants. Donnez à chaque groupe un album, fait à l'avance, et contenant environ 6 feuilles recto-verso. Agrafez ces feuilles et collez une étiquette sur la couverture. Chaque groupe choisit un enfant au sein du groupe. L'album lui sera dédié. Chaque feuille de l'album correspond à un chapitre: lorsque j'étais bébé, à l'école, mes amis, ma famille, ma passion, mon travail préféré, mon avenir, etc. Chaque groupe reçoit une pile de magazines et découpe des photos pour compléter l'album. Le résultat est souvent très fantaisiste.

JEU DE LA PUBLICITE

Ce jeu peut se jouer de deux façons. Rassemblez des annonces publicitaires découpées dans des journaux ou magazines. Ecrivez ces slogans sur des feuilles (pour chaque joueur une feuille) tout en omettant le nom de l'article. Donnez à chaque joueur un crayon et une feuille avec les slogans. Qui aura trouvé le plus d'articles? Voici la deuxième manière: découpez des slogans et collez-les sur de grandes feuilles et numérotez-les. Vous avez ici aussi omis le nom de l'article. Accrochez les feuilles au mur et laissez les joueurs se promener crayon et papier en main. Ils devront alors noter le numéro du slogan et le nom de l'article. Celui qui a cité le plus d'articles justes gagne.

E DE MEMOIRE

haque joueur un crayon et du papier. Déposez sur une

table vingt à vingt-cinq petits objets, très variés. Par exemple: un stylo, une orange, un clou, un petit porte-monnaie, un pinceau, des ciseaux, une bague, un mouchoir, un peigne, une pièce de monnaie, etc. Attirez l'attention des joueurs sur la table et dites-leur de bien regarder. Couvrez ensuite la table. Chaque joueur doit alors inscrire sur sa feuille un maximum d'objets déposés sur la table. Celui qui en cite le plus gagne. Retirez deux points pour chaque objet cité qui ne se trouve pas sur la table.

JEU DES POIS CASSES

Donnez à chaque joueur le même nombre de pois cassés et laissez-les se promener tout en discutant. Tout peut être dit sauf 'oui' et 'non'. Celui qui réussira à faire dire un de ces mots à un autre joueur pourra lui donner un de ses pois. Celui qui, le premier n'a plus de pois gagne. Une autre manière d'organiser ce jeu: Donnez à chaque joueur de cinq à dix pois. Chaque joueur qui réussira à faire dire oui ou non à un autre recevra de ce dernier un pois. Celui qui à la fin a le plus de pois gagne.

LA CORDE

Prenez une longue corde, attachez-y un anneau et faites-en une circonférence en nouant solidement les deux bouts. Les enfants sont assis en cercle et tiennent la corde devant eux. Ils font tourner la corde dans le sens des aiguilles. Un enfant tient l'anneau et essaye, sans se faire remarquer de le passer à son voisin. Un enfant se trouve à l'intérieur du cercle et essaye de deviner qui tient l'anneau. Il peut interrompre le jeu à tout moment et désigner un enfant. Cet enfant doit alors lâcher la corde. S'il tenait l'anneau, il devra prendre place au milieu. S'il ne le tenait pas, le jeu continue avec le même joueur au centre.

CITER DES MOTS

Ce jeu promet bien du plaisir. Inscrivez toutes les lettres de l'alphabet, chacune sur un morceau de papier ou de carton de cinq à sept centimètres de côté. Mettez-les tous dans une boîte ou un chapeau. Installez tous les enfants devant vous pour qu'ils puissent voir quelle lettre vous prenez. Vous ne prenez qu'une lettre à la fois et sans regarder. Celui qui connaît le nom d'un fruit commençant par la lettre que vous montrez reçoit le carton. Lorsque toutes les lettres ont été distribuées, chacun compte ses cartons. Celui qui en a le plus gagne. Vous reprenez les cartons et recommencez avec un autre sujet, par exemple: des animaux, des villes, des oiseaux, etc.

LE CRIME

Chaque joueur reçoit un morceau de papier qu'il ne montre à personne. Vous n'avez écrit quelque chose que sur deux papiers. Sur l'un, assassin, sur l'autre, détective. Le détective doit alors quitter la pièce. Vous éteignez et les joueurs se réunissent au centre de la pièce, jusqu'au moment où l'assassin pose ses mains dans la nuque de quelqu'un. Ce joueur hurle et s'écroule. Vous rallumez et le détective entre. Il interroge tous les joueurs pour essayer de découvrir l'assassin. Tous les joueurs doivent dire la vérité, sauf l'assassin qui peut mentir tant qu'il veut. Vous pouvez déterminer un certain temps pour permettre au détective de trouver l'assassin.

QUI SUIS-JE?

Voici un jeu très ancien mais très apprécié. Même si vous le connaissez depuis pas mal de temps, pensez qu'il est peut-être nouveau pour les enfants que vous occupez. Sur des morceaux de papier, vous inscrivez le nom d'hommes et de femmes connus dans le monde du sport, de la politique, de l'histoire ou de la télévision. Chaque joueur se laisse attacher un nom dans le dos, sans savoir duquel il s'agit. Ensuite, tous les joueurs se promènent et se posent des questions, pour essayer de trouver le nom qu'ils portent. La réponse aux questions ne peut être donnée que par oui ou par non. Chaque joueur ayant trouvé son nom vous le communique. Vous détachez le nom du dos et l'attachez sur la poitrine. Vous placez un autre mot dans le dos. Après un certain temps, par exemple 20 minutes, celui qui a deviné le plus de noms gagne.

DEBALLONS

Mettez un prix dans une boîte et emballez cette boîte. Collez-y une étiquette et inscrivez-y par exemple: 'pour la fille aux cheveux les plus blonds.' Emballez encore plusieurs fois la boîte et collez une étiquette avec une mention sur chaque emballage. Veillez à ce que le nombre d'emballages et de joueurs corresponde. Quelques exemples de mentions à noter sur les étiquettes: pour la fille aux yeux les plus bruns, pour la fille qui porte la plus belle jupe, pour le garçon aux jambes les plus longues, pour le garçon aux pieds les plus longs. Les enfants sont assis en cercle. Un d'entre eux reçoit le paquet, lit l'étiquette et le remet à celui qui selon lui correspond le mieux à la mention de l'étiquette. Celui-ci déballe encore une fois et fait la même chose que le joueur précédent. Celui qui à la fin déballe le prix peut le garder. Spécifiez bien que personne ne peut recevoir deux fois la boîte.

EN GROUPE

Pour les jeux qui suivent, les groupes sont en rang et ne se déplacent pas. Les joueurs se passent un objet.

LES CLOUS

Les joueurs se tiennent les poignets croisés et prennent de la main droite le poignet gauche de leur voisin. Au début de chaque rangée se trouve un petit tas de clous. Tous les clous doivent être passés un à un à l'aide de la main droite au joueur suivant.

CURE-DENT

Les joueurs tiennent un cure-dent en bouche. A l'aide de ce cure-dent, ils doivent se passer une bague sans utiliser les mains.

BOITES D'ALLUMETTES

Le premier joueur de chaque file a le côté extérieur d'une boîte d'allumettes sur le nez et essaye de le poser sur le nez du joueur suivant sans utiliser ses mains.

LES PAQUETS

Vous donnez un paquet emballé et ficelé au premier joueur de chaque rangée. Celui-ci déballe et passe le tout au joueur suivant. Celui-ci l'emballe à nouveau, le ficelle et le passe au joueur suivant qui lui déballe à nouveau. Et ainsi de suite.

CHACUN POUR SOI

Les enfants disputent les jeux suivants de façon individuelle. Chaque enfant joue pour lui-même. Pour certains jeux, il est parfois nécessaire de faire des séries et de laisser jouer ensuite les vainqueurs de chaque série dans une finale.

COURSE AUX BONBONS

Vous attachez en leur milieu des bonbons à des ficelles de longueur égale. Chaque joueur prend le bout d'une ficelle en bouche et mâche ensuite toute la ficelle dans la bouche jusqu'à ce qu'il ait le bonbon contre ses lèvres.

SERPENTIN

Les joueurs doivent briser une fine languette de papier, par exemple un serpentin en son milieu. Si le serpentin casse à un autre endroit, le joueur est éliminé. Ce jeu peut aussi se dérouler par groupes de deux. Chaque groupe reçoit un serpentin d'environ six mètres ou de la même longueur que la largeur de la pièce. Les joueurs prennent chacun un des bouts du serpentin et essayent de le casser en son milieu.

CARAMEL

Chaque joueur reçoit un caramel (ou autre friandise) emballé. Le joueur mange le bonbon et commence, le plus près du bord possible, à déchirer le papier. Au fur et à mesure qu'il se rapproche du milieu du papier, la languette s'allonge et a plus de chances de se déchirer. Le joueur qui a la plus grande languette gagne.

JOURNAUX

Chaque joueur reçoit deux feuilles de journaux et doit se diriger vers l'arrivée. Il doit absolument se déplacer en restant sur les journaux. Il pose donc une feuille devant lui, marche dessus, dépose la feuille suivante et se met dessus. Il fait ainsi de suite jusqu'à ce qu'il ait atteint l'arrivée.

BRIQUES OU POTS A FLEURS

Ce jeu se joue de la même manière que le précédent. Mais ici, vous donnez aux joueurs deux ou trois briques ou pots à fleurs au lieu de feuilles de journaux. En marchant sur les briques ou les pots, sans se tenir ni mettre le pied à terre, les joueurs doivent se diriger vers l'arrivée. Si un joueur perd son équilibre et met pied à terre, il doit recommencer tout le trajet.

POMMES DE TERRE

Chaque joueur a un panier. Quatre ou cinq pommes de terre se trouvent devant chacun à environ un mètre l'une de l'autre. Le joueur court vers la première pomme de terre, la ramasse et vient la déposer dans le panier. Puis, il court vers la seconde, la ramène et ainsi de suite. Il ne peut ramener qu'une pomme de terre par course. Lorsqu'il a ramassé toutes les pommes de terre, le joueur court avec son panier vers l'arrivée. Pour le ramassage, on peut éventuellement commencer avec la pomme de terre qui se trouve le plus loin.

SAC

Les joueurs mettent les pieds dans un sac et essayent en sautant d'atteindre l'arrivée. Veillez à ce que tous les sacs soient les mêmes, pour que tous les joueurs aient les mêmes chances. Les joueurs peuvent prendre le départ debout ou couchés. S'ils sont couchés, au signal, ils devront se mettre debout sans utiliser leurs mains.

COURSE A OBSTACLES

Ce jeu promet bien du plaisir. Prévoyez un trajet avec des obstacles, de manière à ce que les joueurs doivent passer par-dessus des chaises, sous des filets et sous des cordes. Faites-leur manger à mi-trajet une pomme suspendue à un fil, etc. Vous devez évidemment disposer d'un certain espace et d'accessoires, pour pouvoir organiser cette course. Il n'est pas juste qu'un enfant doive attendre près de certains obstacles. Le premier prendrait trop d'avance sur ceux qui attendent à l'obstacle. Expliquez bien à l'avance, de quoi il s'agit et demandez aux joueurs s'ils ont tous bien compris.

COURSES RELAIS OU INDIVIDUELLES

Les courses suivantes peuvent être organisées de façon individuelle ou sous forme de course relais.

COURSES INDIVIDUELLES

Si vous préférez les courses individuelles, il vaut mieux que vous commenciez par des courses de ce genre. Formez des groupes de cinq ou six joueurs et laissez-les se mesurer. Les vainqueurs de chaque groupe pourront alors disputer une finale. Les enfants ont l'habitude de tels jeux à l'école. Vous ne devez donc normalement rencontrer aucune difficulté pour l'organisation. Les joueurs déjà éliminés supporteront leurs amis et l'ambiance battra son plein.

COURSES RELAIS

Peut-être préférez-vous ce genre de courses. Elles ont pour avantage le fait que tous les enfants sont occupés en même temps. Répartissez les joueurs en groupes, en file, d'un côté de la pièce ou du terrain de jeux. Un joueur de chaque groupe remplit une mission et revient à sa place. Le second peut alors partir. Si un joueur part avant que le précédent ne soit revenu à sa place, le groupe est éliminé. Le groupe qui a terminé le premier gagne.

CACAHUETES

Les joueurs se tiennent prêts, avec une fourchette et devant eux, sur le sol, une cacahuète. Au signal de départ, ils ramassent la cacahuète avec la fourchette sans la toucher des doigts et courent ensuite à l'autre bout de la pièce. S'ils laissent tomber la cacahuète en chemin, ils doivent la remettre sur la fourchette sans utiliser leurs mains. Veillez à ce que toutes les cacahuètes soient à peu près d'égales grandeur et grosseur.

POIS CASSES

A l'aide d'un chalumeau, les joueurs aspirent le pois cassé. Ils doivent amener le pois à l'arrivée tout en le tenant collé au chalumeau. Donnez le signal de départ lorsque les enfants sont debout, le chalumeau en bouche et le pois cassé devant eux sur le sol.

CACAHUETE ET CURE-DENT

A l'aide d'un cure-dent en bouche, les joueurs doivent faire avancer une cacahuète non épluchée. Veillez ici aussi à ce que toutes les cacahuètes soient de forme et de grandeur à peu près égales.

BOUGIES

Les joueurs allument une bougie et doivent la porter allumée à l'arrivée. Si la bougie s'éteint en chemin, le joueur doit retourner au point de départ. Ce jeu doit se jouer à l'extérieur, un jour où il n'y a pas de vent. Il serait trop dangereux d'organiser ce jeu à l'intérieur.

BALLONS

Donnez à chaque joueur un ballon gonflable et une raquette de tennis ou de ping-pong. Ils doivent amener le ballon à l'arrivée en s'aidant de leur raquette. Si le ballon touche le sol avant d'être arrivé, le joueur doit retourner au point de départ.

EXPLOSION

Les joueurs doivent courir à l'autre bout de la pièce, prendre un ballon ou un sachet, et le gonfler jusqu'à ce qu'il explose. Il reprend ensuite sa place le plus vite possible.

SIFFLE ET MANGE

Les joueurs doivent courir à l'autre bout de la pièce ou du terrain de jeux. Ils doivent alors manger un biscuit et siffler une chanson. Ils ne reçoivent le biscuit que lorsqu'ils ont atteint un point déterminé. Les joueurs retournent alors le plus vite possible à leur place.

BILLES

Les joueurs doivent transporter une bille sur deux crayons jusqu'à un certain endroit. Faites-leur prendre le départ, crayons en mains et bille par terre. Ils doivent placer la bille sur les crayons sans la toucher des mains. Pendant la course, les doigts doivent rester éloignés de la bille.

BROSSE

Chaque joueur essaye, à l'aide d'une brosse, d'un plumeau ou d'un tue-mouches, de faire avancer une feuille de papier jusqu'à l'autre bout de la pièce ou du terrain de jeux.

BALLE ET ASSIETTE

Tendez une corde à plus ou moins 1,5 mètre de haut à travers la pièce. Veillez à ce que la distance entre le mur et la corde soit de 75 cm. Chaque joueur avance, la balle sur l'assiette, vers la corde. Arrivé à cet endroit, il fait passer la balle par-dessus la corde et la rattrape de l'autre côté avec son assiette. Celui qui laisse tomber la balle doit recommencer tout.

ORANGE

Les joueurs doivent avancer à cloche-pied, une grande cuillère à la main, avec dessus une orange. Donnez le signal de départ lorsque tous les joueurs se trouvent sur un pied, la cuillère en main et l'orange par terre devant eux. Ils doivent alors mettre l'orange sur la cuillère, sans s'aider de leurs mains et sans que leur deuxième pied ne touche le sol.

ORANGE SUR CARTON

Placez une orange sur un morceau de carton auquel vous attachez une corde. Les joueurs doivent faire avancer le carton en tirant sur la corde et sans que l'orange ne roule bas du carton. Si l'orange ne reste pas sur le carton, le joueur doit retourner au point de départ.

SOUFFLER

Tout en soufflant, les joueurs doivent faire avancer une plume, un ballon ou une balle de ping-pong d'un côté à l'autre de la pièce ou du terrain de jeux.

CITRON ET CRAYON

Les joueurs doivent faire avancer un citron à l'aide d'un crayon.

CERISES

Les joueurs transportent une cerise sur le dos de la main.

BOUTEILLE

A l'aide d'un bâton, les joueurs font avancer une bouteille vide jusqu'à l'arrivée.

JEUX MUSICAUX

Les jeux musicaux sont toujours les bienvenus lors d'une fête. Ils demandent une certaine énergie aux joueurs sans toutefois les exciter de trop. Ils exigent certains préparatifs. On peut utiliser un matériel assez important comme piano, radio, tourne-disque. Une seule condition: la musique doit pouvoir commencer et s'arrêter brusquement. Si on joue à l'extérieur, on peut utiliser un tambour ou une flûte au lieu d'une radio, etc.

LES STATUES

Les enfants sautent et dansent au son de la musique. Soudain, la musique s'arrête et les danseurs doivent rester sans bouger dans la position qu'ils avaient lorsque la musique s'est arrêtée. Celui qui bouge est éliminé. La musique reprend et le jeu continue ainsi jusqu'à ce qu'il ne reste plus qu'un joueur, le gagnant.

PASSE LE PAQUET

Mettez un prix dans une boîte et emballez plusieurs fois la boîte. Les joueurs forment un cercle et se passent le paquet. Lorsque la musique s'arrête, celui, qui à ce moment-là, tient le paquet peut enlever un papier d'emballage. Et même plus tant qu'il n'y a plus de musique. Lorsque la musique reprend, il doit faire passer le paquet. A chaque fois que la musique s'arrête, les couches d'emballage diminuent et la tension monte. En effet, personne ne sait combien d'emballage il reste. Celui qui enlève le dernier papier gagne et garde le prix.

LES CHAPEAUX DANGEREUX

Les joueurs forment un cercle. Un d'entre eux porte un chapeau. Lorsque les enfants sont nombreux, vous pouvez donner deux ou trois chapeaux. Vous les retirerez du jeu lorsque le nombre de joueurs sera plus restreint. Tant que la musique joue, les enfants se passent le ou les chapeaux. Lorsque la musique s'arrête, celui (ou ceux) qui a le chapeau sur la tête doit quitter le cercle. Le joueur qui ne devra pas quitter le cercle gagnera.

NOMBRES MUSICAUX

Tous les joueurs se promènent en rond, pendant que la musique joue. Lorsque la musique arrête, vous criez un nombre inférieur à dix, par exemple cinq. A ce moment, les joueurs se dépêchent pour former des groupes de cinq. Ceux qui ne font pas partie d'un groupe sont éliminés. Continuez à crier des nombres inférieurs à dix jusqu'à ce qu'il ne reste plus que 5 ou 6 joueurs. Ce sont les gagnants.

FORT ET MOINS FORT

Pour ce jeu et le suivant, il est surtout question de jouer fort et moins fort au piano. Si vous n'avez pas de piano, les enfants pourront chantonner. L'intensité du son est le plus important. Un joueur sort de la pièce. Le reste cherche une mission à lui faire accomplir, telle que fermer une tenture, ramasser un livre, etc. Lorsque tout le monde est d'accord avec la mission choisie, le joueur sorti peut rentrer. Pendant qu'il se promène dans la pièce, cherchant la mission qu'il doit accomplir, les joueurs jouent doucement au piano ou chantonnent doucement, lorsqu'il se trouve loin de l'endroit désigné. Lorsque le joueur se rapproche de cet endroit, les enfants jouent ou chantent plus fort. Lorsque le joueur a deviné sa mission, les autres jouent et chantent à tue-tête le temps qu'il l'accomplisse.

CLE MUSICALE

Ce jeu ressemble au précédent. La musique est la clé de ce jeu. Le joueur qui doit quitter la pièce, ne doit pas remplir de mission mais chercher un objet comme par exemple un dé, une bague, etc. Lorsqu'il s'approche de l'endroit où l'objet est caché, les joueurs jouent ou chantent plus fort. Ils jouent ou chantent moins fort s'il s'éloigne de l'endroit. Ce jeu et le précédent ne sont intéressants que lorsque le groupe est restreint.

ATTENTION AU TAPIS

Les joueurs font une ronde pendant que la musique joue. Vous placez un tapis de manière à ce que les joueurs doivent passer dessus. Celui qui se trouve sur le tapis lorsque la musique s'arrête est éliminé. Celui qui reste le dernier gagne.

CHAISES MUSICALES

Pour ce jeu, il vous faut une chaise de moins que le nombre de joueurs qui participent. Mettez les chaises dos à dos sur un rang. Lorsque la musique joue, les joueurs avancent autour des chaises. Lorsque la musique s'arrête, tous les joueurs essayent de s'asseoir sur une chaise. Celui qui n'a pas de chaise est éliminé. Vous retirez alors une chaise et le jeu continue. Chaque fois qu'un joueur est éliminé, vous retirez une chaise. Lorsqu'il ne reste plus que deux joueurs, veillez à ce qu'ils ne touchent pas la chaise en avançant. Celui qui s'assied le premier lorsque la musique s'arrête gagne.

ATTRAPE UN BRAS

Ce jeu ressemble au précédent, mais vous n'avez pas besoin de chaises. La moitié des joueurs, moins un, se trouve en rang au centre de la pièce. Ces joueurs se tiennent dos à dos, une main sur la hanche droite. Le reste des joueurs avance autour du rang tant que la musique joue. Et ils attrapent un bras lorsque la musique s'arrête. Celui qui n'a pas attrapé de bras est éliminé. Un des enfants quitte alors le rang. Faites-le par exemple en utilisant une comptine. Le jeu continue alors de la même façon que celui des chaises musicales.

LE CHEF D'ORCHESTRE AVEUGLE

Tous les enfants font une ronde en chantant. Au centre se trouve un joueur, les yeux bandés. Il bat la mesure. Lorsqu'il baisse son bâton, tout le monde s'arrête. L'aveugle désigne alors un joueur pour chanter une chanson. Le joueur peut changer sa voix. L'aveugle doit deviner qui chante. S'il ne réussit pas, le joueur peut chanter une deuxième chanson. Si l'aveugle n'a pas deviné après trois chansons, il est remplacé par un autre joueur.

POUR UNE FÊTE REUSSIE

Il se pourrait que pour une occasion quelconque, vous vouliez organiser une fête pour enfants un peu plus spéciale. Vous pouvez procéder de différentes façons. Vous pouvez évidemment dépenser une somme d'argent importante pour un repas, un clown ou un animateur pour amuser les enfants, ou un petit cadeau pour chaque enfant. Mais ce ne sont pas là les points essentiels d'une réussite assurée. Au contraire, un tel luxe peut créer un certain malaise chez d'autres enfants et leur imposer certaines obligations. Le plus important lors d'une telle organisation est votre initiative et votre originalité. Vous pouvez par exemple choisir un thème: les bateaux, les pirates, les chevaux, les nains, le cirque, etc. Vous pouvez également envoyer des invitations garnies de chapeaux, de jouets, de sachets de bonbons, etc. Ceci vous demandera beaucoup de travail mais vous retirerez une grande satisfaction. La plupart du temps, vous devrez réaliser les invitations vous-même en faisant appel à votre imagination.

Le choix d'un thème

Si vous choisissez un thème, par exemple les bateaux, vous pouvez organiser une fête pour matelots. Vous garnirez la pièce de bateaux et de tout ce qui peut s'y rapporter. Pour des enfants plus jeunes, choisissez par exemple le thème des nains. Vous avez alors un tas de possibilités de décoration.

Lorsque vous vous êtes décidé pour un thème quelconque, recherchez tous les motifs qui s'y rapportent. Vous pouvez par exemple étendre la décoration des environs du bateau, comme l'ancre, le gouvernail. Dessinez alors un motif tout simple, collez-le sur du carton et découpez-le. Simplifiez au maximum les contours. Tout le monde doit pouvoir reconnaître l'objet que vous avez voulu représenter. Si vous ne savez pas bien dessiner, recherchez vos motifs dans des périodiques ou journaux. Les livres à colorier de vos enfants vous aideront probablement beaucoup. Vous pouvez faire plusieurs motifs mais si vous vous limitez à un seul, il sera beaucoup plus facile de reconnaître le thème.

Elaboration d'un motif

Vous représentez le motif choisi sur un carton assez solide. Si cela vous est possible, agrandissez ou réduisez le motif pour faire une série du plus grand au plus petit. Découpez-les et vous avez alors les patrons des accessoires pour décorer la pièce. Collez ces motifs sur du papier blanc ou de couleur.

Découper et colorier

Vous pouvez placer directement les motifs sur les objets à décorer et les colorier. Vous pouvez aussi les découper dans du papier couleur et les coller sur les objets à décorer. Cette dernière façon de faire est la plus simple et les résultats sont souvent magnifiques.

Photos

Vous pouvez également rassembler toutes sortes de photos se rapportant au thème choisi. Vous aurez besoin d'un nombre assez important de photos. Vous ne les trouverez peut-être pas facilement.

Invitation

Vous pouvez élaborer des invitations de différentes façons. Prenez une simple feuille de papier blanc, garnissez-la d'un ou de plusieurs motifs et écrivez ou dactylographiez le texte sous le ou les motifs. Vous pouvez également plier la feuille en deux et écrire votre texte à l'intérieur. Encore une autre possibilité: prenez votre motif le plus grand, collez-le sur un papier cartonné de couleur et découpez-le y. Vous obtiendrez par exemple une invitation en forme de bateau sur lequel vous écrirez le texte. Si vous faites la même chose avec une feuille pliée en deux mais que vous laissez le côté gauche intact, vous obtiendrez ainsi une carte d'invitation double ayant la forme de votre motif. Pour le texte, vous pouvez également tout simplement le dactylographier sur une feuille normale, découper le bloc du texte et le coller sur l'invitation.

Texte
Le texte d'invitations officielles n'est pas utilisé pour des invitations d'enfants.
Voici un exemple de texte:
J'organise une petite fête le
...... (date et heure)
et j'aimerais que tu sois présent.

Ou bien: *Je fête mon anniversaire le...*
Si tu as envie de venir,
je t'attends à...
Expéditeur.

Une fête spéciale demande évidemment un texte spécial, qui est tout à fait en rapport avec le thème. Si vous donnez une fête pour matelot, voici un exemple de texte:
Ohé du bateau!
.... (nom de celui qui fête son anniversaire) donne une fête de matelots pour tous ses compagnons sur le bateau de la famille.... (nom et adresse). La fête commence à... heures. Préviens si tu embarques.

Ceci n'est qu'une suggestion. Vous pouvez modifier le texte à votre façon. Tout dépend de vous et des personnes que vous invitez. Voilà pour ce qui est des invitations. Si vous faites de cette manière, tout le monde sera sans aucun doute très enthousiaste.

Des chapeaux
Une façon très simple de réaliser des chapeaux est la suivante. Prenez une languette de fin carton de cinq centimètres de large. Déterminez la longueur en mesurant la tête de l'enfant. Collez alors les deux extrémités. Vous découpez les motifs, par exemple le bateau, dans un fin carton de couleur et vous les collez sur la languette. Il y a bien d'autres possibilités pour garnir la languette. Vous pouvez par exemple y agrapher quelques bouts de serpentins ou y coller une grande étoile. Vous pouvez également faire une couronne en collant deux fines bandes de papier de couleur, une de gauche à droite et une d'avant en arrière. Vous pouvez également garnir ces bandes de serpentins.

Chapeaux en papier crêpon

Vous pouvez réaliser sans difficulté un chapeau en papier crêpon. Vous partez également d'une languette de fin carton comme décrit ci-dessus. Vous découpez la même languette de crêpe mais la hauteur sera de 25 à 30 cm. Collez le papier crêpon à l'intérieur de la languette de carton et collez ou non les deux extrémités.

Voici quelques façons de garnir un tel chapeau:

1. Agraphez le côté supérieur du papier crêpon pour en faire une tour et garnissez de serpentins.
2. Découpez le papier crêpon en pointes pour donner l'aspect d'une couronne.
3. Ramenez le papier crêpon au centre. Ficelez-le à environ cinq centimètres du bord et découpez ces 5 cm en franges. Vous pouvez cacher la ficelle avec une languette de papier d'une autre couleur très contrastante.

Lorsque les chapeaux sont prêts, collez-y à l'avant les motifs découpés dans un fin carton. Ne découpez pas les motifs dans du papier crêpon. Ceci vous causerait bien des problèmes. Lorsque vous découpez des languettes de papier crêpon, faites-le de préférence dans le sens de la longueur du rouleau. Travailler le papier crêpon dans le sens de la largeur est beaucoup plus difficile. Enfin, un dernier conseil pour obtenir de magnifiques chapeaux de crêpe. Achetez-les dans un supermarché ou magasin de jouets et garnissez-les des motifs que vous avez choisis.

Sachets de bonbons

La réalisation de ces sachets de bonbons cause peu de problèmes. Vous pouvez tout simplement acheter des sachets tout prêts et y coller vos motifs. Vous pouvez également emballer les friandises dans des carrés de plastique. Découpez des carrés de plastique, déposez-y les friandises, joignez les quatre coins et attachez-les. Garnissez ensuite de votre motif.

Vous pouvez également réaliser de petits paniers à friandises. Vous avez besoin pour ceci de papier cartonné souple d'environ 25 centimètres. Pliez ce morceau en 16 de la façon suivante: le côté inférieur sur le côté supérieur. Ouvrez à nouveau la feuille. Repliez le côté gauche sur le côté droit. Repliez maintenant tous les côtés jusqu'à la ligne médiane. Aux côtés inférieur et supérieur, vous coupez le premier pli jusqu'au premier pli que vous rencontrez. Vous collez les deux carrés sur les carrés du milieu, en haut et en bas. Vous obtenez ainsi un panier. Il vous suffit d'accrocher une anse, languette de papier cartonné de 12 cm sur 1. Décorez ensuite le panier de votre motif.

Cartes
A chaque place, vous pouvez déposer une carte avec le nom de la personne invitée devant s'asseoir à cet endroit. Vous pouvez également réaliser ces cartes vous-même et les adapter au thème de la fête. Vous pouvez acheter des cartes de visite et les décorer d'un tout petit motif. Des cartons de plus ou moins dix centimètres sont également très appropriés pour ce genre de chose. Vous les pliez en deux dans le sens de la longueur et décorez le côté où vous avez inscrit le nom.

Ballons
Si vous voulez être très fantaisiste, gonflez des ballons à l'avance et peignez-y les motifs.

Le repas
Même le repas peut être adapté au thème de la fête. Pour une fête de matelots, vous découpez les cakes en forme de bateaux. Vous pouvez alors y planter un mat avec ses voiles.
Des mets plus durs, tels que fromage et saucisson, peuvent également être présentés de cette façon. Il est également très important de travailler le gâteau d'anniversaire dans ce sens.

JEUX

Un point très important de ce genre de fête est l'organisation des jeux adaptés au thème choisi. Un grand nombre de jeux de ce livre peut être adapté très simplement à un tas de sujets. Vous ne devrez parfois par exemple ne changer qu'un nom ou n'apporter qu'une petite modification.

JEU D'ECHASSES

Faites les échasses en utilisant deux boîtes d'un litre de conserve vides. Elles assurent un plus grand équilibre. Vous avez également besoin d'une solide corde. Enlevez l'étiquette des boîtes et peignez ou collez-y une nouvelle étiquette. Faites dans le fond de la boîte deux trous l'un en face de l'autre. Passez la corde dans les trous et faites un noeud très solide. La corde doit être assez grande pour l'enfant qui doit se mettre sur les boîtes. L'enfant doit pouvoir tenir la corde tendue sans se pencher.

LE BUT EN OR

Dans le fonds d'une boîte en carton, faites trois ou quatre trous que vous entourez d'une couleur vive. Une de ces couleurs est jaune ou or. Inscrivez des points près de chaque trou. Le trou entouré de jaune ou d'orange a le plus de points. D'un endroit déterminé, les joueurs lancent des balles de ping-pong vers la boîte. Chaque joueur peut lancer trois fois. Le joueur qui a marqué le plus de points gagne. Si un joueur arrive à placer la balle dans le but en or, il est vainqueur, quel que soit le nombre de points qu'il a obtenus.

JEU DE MEMOIRE

En tenant compte de l'âge des joueurs, vous déposez de six à douze objets sur une table. Vous changez évidemment la composition pour chaque joueur. Vous laissez certains objets et en remplacez d'autres. Vous posez un drap sur les objets. Un joueur se place devant la table. Vous enlevez le drap et tous les autres joueurs comptent ensemble jusque dix. Vous redéposez alors le drap sur les objets. Le joueur doit alors citer le plus d'objets possible. Celui qui a cité le plus d'objets gagne.

ATTENTION A LA DERNIERE

Placez seize allumettes sur une table: une dans la première rangée, trois dans la seconde, cinq dans la troisième et sept dans la quatrième. Chaque joueur peut prendre trois allumettes mais pas plus d'une par rangée. Celui qui doit ramasser la dernière allumette est éliminé.

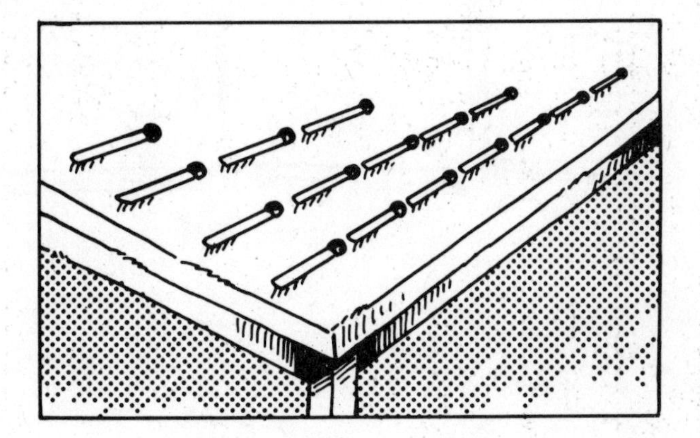

PRENDS LA DERNIERE

Déposez trente allumettes l'une à côté de l'autre sur la table. Chaque joueur prend à tour de rôle jusqu'à six allumettes. Celui qui prend la dernière gagne.

JEU DE L'ECHELLE

A l'aide d'allumettes, représentez une échelle assez longue sur votre table. Il s'agit de monter et de descendre l'échelle avec des pierres ou pièces de monnaie pour pions. Pour ce jeu, il vous faut un dé. Procédez de la façon suivante: celui qui jette un, deux, ou trois monte de un, deux ou trois échelons. Celui qui lance quatre reste sur place. Celui qui lance 5 descend d'un échelon et celui qui lance six descend de deux échelons. Si un joueur vient se placer à un endroit où se trouve déjà un autre, il devra retourner à sa place. Si la place suivante est occupée elle aussi, le joueur pourra se placer un échelon plus haut ou plus bas. Celui qui le premier aura monté et descendu l'échelle aura gagné.

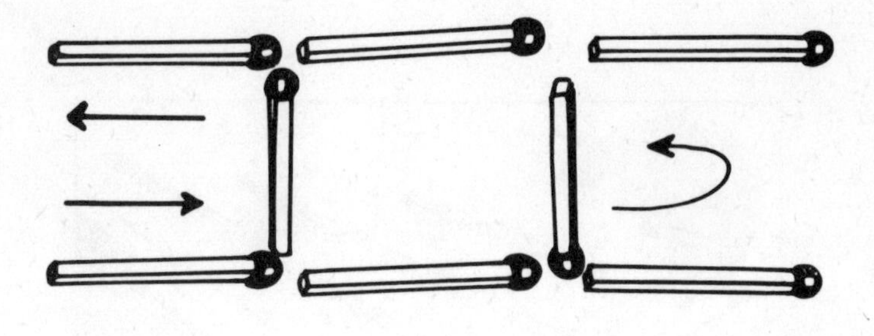

COMBAT DE COQ

Il y a une discussion et personne ne veut céder. Un combat doit apporter une solution. Les adversaires se tiennent sur une jambe, les bras croisés. A force de bousculades, ils essayent de faire perdre l'équilibre aux autres. Celui qui met le deuxième pied à terre ou tombe est éliminé.

NE PAS BOUGER

Deux adversaires se tiennent face à face, les doigts de pied les uns près des autres et les mains à hauteur de la poitrine. Ils appuyent sur les mains et essayent de faire reculer leur adversaire. Celui qui le premier bouge a perdu.

JEU DE L'OUATE

Pour ce jeu, utilisez une grande table que vous diviserez en deux parties égales par un trait tracé à la craie ou un fil tendu. Répartissez les joueurs en deux groupes, un de chaque côté de la table. Placez au centre de la table une boule d'ouate. En soufflant, les joueurs essayent alors de la faire passer dans le camp adverse.

JEU DES AS

Vous avez besoin d'un jeu de cinquante-deux cartes. Vous distribuez toutes les cartes aux joueurs. Chaque joueur a son tas de cartes retourné sur la table devant lui. Le joueur à gauche de celui qui a donné les cartes commence par retourner sa première carte. S'il s'agit d'un as, il le place au milieu. Les autres cartes sont gardées par les joueurs près de leur tas. Les autres cartes, du roi au deux, peuvent être placées dans l'ordre à côté de l'as à condition qu'elles soient de même sorte et de même couleur. Chaque joueur peut à son tour placer les cartes qu'il sait. Lorsque les quatre as sont sur la table, les chances sont évidemment plus grandes. Tout qui a un as peut le placer sur la table lorsque c'est son tour. Celui qui ne peut déposer sa carte au milieu, la place à côté de son tas et passe son tour. Si le tas retourné est épuisé, le joueur retourne le tas de cartes qui n'ont pu être déposées et recommence. Celui qui le premier a pu déposer toutes ses cartes gagne.

MENTEUR

Le menteur qui se débarrasse au plus vite de ses cartes est déclaré vainqueur. Pour ce jeu, il convient de se munir d'un jeu de cartes comprenant trente-deux cartes ou si le nombre de joueurs est élevé, cinquante-deux cartes. Les cartes sont battues et réparties entre les joueurs. A chaque tour, chaque joueur reçoit une carte. Les cartes restantes sont déposées au milieu et constituent le début du jeu. Le joueur assis à la gauche du donneur commence. Il place une carte, face contre la table, sur le tas existant au milieu et donne une valeur à cette carte. Il n'est pas nécessaire que la valeur déclarée corresponde à la valeur réelle de la carte. Il faut être aussi convaincant que possible afin que tout le monde y croie. La carte deux de trèfle constitue par exemple le début du jeu et doit être complétée par l'as de trèfle. Par la suite, il est possible de prendre d'autres couleurs. Les joueurs donnent à tour de rôle la valeur de la carte qu'ils déposent sur la table, qui ne doit pas nécessairement être exacte. Chaque joueur peut interrompre le jeu à tout moment en criant: 'tu as menti'.Il retourne alors la dernière carte déposée sur la table. Si la valeur de cette carte correspond à la valeur donnée, ce joueur ramassera toutes les cartes. Si cette valeur ne correspond pas à la valeur donnée, le menteur reprend toutes les cartes et continue à jouer. Le joueur assis à sa gauche poursuit le jeu. Un joueur peut également essayer de se débarrasser de deux ou de plusieurs cartes en même temps. Si un autre joueur le remarque, il crie: 'tu as menti' Dès lors, le menteur ramasse toutes les cartes, même si la valeur de cette carte correspond à la valeur donnée. Les jokers ont la valeur que leur donne un joueur. Dans ce jeu, il importe de se débarrasser au plus vite de ses cartes et de protester aussi rapidement que possible. Si la carte suivante est déposée, il n'est plus possible de protester. Le joueur qui s'est débarrassé le premier de ses cartes est déclaré vainqueur. Lorsqu'un joueur dépose sa dernière carte, il est interdit de la traiter de menteur.

MIAOU, MIAOU

Les cartes sont battues et distribuées une par une aux joueurs

jusqu'à ce que chacun ait cinq cartes. Le reste des cartes est déposé sur la table, la première carte retournée à côté du tas. Le joueur à gauche de celui qui a donné dépose au milieu une carte de la même sorte (carreau et carreau) ou de la même valeur (7 et 7, roi et roi). Si le joueur n'a pas de carte à déposer mais qu'il a un valet, il peut le déposer, en lui donnant la valeur qu'il veut. S'il n'a pas de valet, il doit prendre une carte du tas du milieu et regarder s'il peut la déposer. S'il ne peut encore rien jouer à ce moment, il garde la carte prise au milieu et passe son tour au joueur de gauche. Le 7 et le 8 ont une signification spéciale. Si un joueur place un 7 au milieu, le joueur suivant devra prendre deux cartes et passer son tour. Pour le 8, le joueur suivant doit passer son tour. Il est très subtil de garder son valet le plus longtemps possible pour pouvoir déposer une carte lorsque le jeu sera presque terminé. Le joueur qui le premier a déposé toutes ses cartes crie miaou. Le jeu est alors fini. Les autres joueurs calculent alors la valeur de leurs cartes de la façon suivante:
7, 8, 9 et 10 comptent pour 7, 8, 9 et 10 points. Le valet vaut 2 points, la dame trois et le roi quatre. L'as vaut 11 points. Si un joueur peut terminer le jeu en déposant un valet, il crie miaou miaou et les points de tous les autres joueurs comptent double. Lorsqu'un joueur a atteint 100 points, la partie est terminée. Celui qui a le moins de points gagne.

DEVINETTES ET BLAGUES

Un autre point important de ce genre de fête est la bonne ambiance. Vous y arriverez en passant des disques mais aussi en racontant des blagues ou en posant des devinettes.

Quel est le comble de la patience?
Chatouiller un réverbère jusqu'à ce qu'il rie.

Tu jettes cet objet en boule en l'air et il retombe avec une queue. De quoi s'agit-il?
Une boule de laine.

J'ai un trou, je fais un trou et j'y passe. Qui suis-je?
Une aiguille.

Quel est le comble de l'avarice?
Laver le papier de toilette et le mettre sécher avant de l'utiliser une seconde fois.

Plus on me vide, plus je suis grand. Plus on me remplit, plus je suis petit. Que suis-je?
Un trou.

Qu'est-ce qui a un pied de long, un pied de large et qui pourtant est trois fois plus long que large?
Un pied.

Ça a deux sorties. Ce n'est que lorsque mes deux pieds sont bien dehors que je suis bien dedans.
De quoi s'agit-il?
Un pantalon.

Quand il est fermé, il est ouvert et quand il est ouvert, il est fermé.
De quoi s'agit-il?
Un pont mobile.

J'ai quatre pattes, deux bras mais je ne marche pas. Qui suis-je?
Un fauteuil.

Petit, il marche à quatre pattes. Ayant grandi, il ne marche plus que sur deux. Vieux, il en a besoin trois. De qui s'agit-il?
L'homme.

L'instituteur sermonne sa classe:
'Hier, on a volé des pommes dans mon jardin. Je vous le dis, Dieu voit tout.'
'Oui, mais il ne cafarde pas' dit le petit Paul.

C'est l'heure du catéchisme.
'Mes enfants, que devons-nous d'abord faire pour que nos péchés soient pardonnés?' demande le prêtre.
'On doit d'abord pécher, Monsieur le Curé' répond Anne-Lise.

'Qui donc crie si fort chez vous, Michel?'
'C'est mon grand-père. Il explique mon devoir de mathématiques à mon père.'

Grand-mère va chez le coiffeur et se fait couper les cheveux. Quand elle rentre à la maison, son petit-fils lui dit:
'Maintenant, tu n'as plus l'air d'une vieille dame.'
Toute contente, la grand-mère demande:
'J'ai l'air de quoi, alors?'
'D'un vieux monsieur.'

Un père demande à son fils:
'Mais où est donc ton carnet?'

D'un air joyeux, l'enfant réplique:
'Je l'ai prêté à Marc. Il veut faire peur à son père!'

Toto rentre à la maison.
'Ce soir, il y a réunion de parents d'élèves dans l'intimité. Rien qu
toi et le maître!'